Texte offert par
l'association Mothers' Bridge of Love
Illustrations : Josée Masse
Adaptation française : Carole Tremblay

Ton histoire d'amour

Catalogage avant publication de
Bibliothèque et Archives nationales du Québec
et Bibliothèque et Archives Canada

Xinran, 1958-
Ton histoire d'amour
Poèmes.

Traduction de : Motherbridge of Love.
Pour enfants.

ISBN 978-2-89512-629-4

I. Tremblay, Carole, 1959- . II. Masse, Josée. III. Titre.
PR6124.I57M6714 2007 j895.1'152 C2007-940803-6

Directrice de collection : Lucie Papineau
Graphisme : Primeau & Barey
Dépôt légal : 3e trimestre 2007
Bibliothèque et Archives nationales du Québec
Bibliothèque nationale du Canada

Dominique et compagnie
300, rue Arran, Saint-Lambert
(Québec) Canada J4R 1K5
Téléphone : 514 875-0327
Télécopieur : 450 672-5448
Courriel : dominiqueetcie@editionsheritage.com

www.dominiqueetcompagnie.com

Imprimé en Chine

Nous remercions le Conseil des Arts du Canada de l'aide accordée à notre programme de publication.

Nous reconnaissons l'aide financière du gouvernement du Canada par l'entremise du Programme d'aide au développement de l'industrie de l'édition (PADIÉ) pour nos activités d'édition.

Nous reconnaissons l'aide financière du gouvernement du Québec par l'entremise du Programme de crédit d'impôt pour l'édition de livres – SODEC – et du Programme d'aide aux entreprises du livre et de l'édition spécialisée.

Ton histoire d'amour

Il était une fois deux femmes qui ne se connaissaient pas.

Tu ne te souviens pas de la première.
La deuxième, c'est celle que tu appelles maman.

Ce sont ces deux vies qui t'ont façonnée
et t'ont rendue si unique.

L'une d'elles est devenue
ton étoile dans la nuit.

L'autre, le soleil de tes jours.

La première t'a donné la vie.

La deuxième t'a appris à vivre.

L'une t'a donné le désir d'être aimée.
La deuxième était là pour le combler.

La première t'a offert un corps.
La deuxième t'a montré à jouer.

L'une t'a donné des talents.

L'autre t'a aidée à atteindre tes buts.

La première t'a donné un cœur
rempli d'émotions.
La deuxième a calmé tes peurs.

L'une a vu ton premier sourire.
L'autre était là pour essuyer tes larmes.

La première a rêvé pour toi du foyer
qu'elle ne pouvait pas t'offrir.

La deuxième rêvait d'avoir un enfant.
Grâce à toi, son souhait a été exaucé.

Et maintenant, bien sûr, tu te demandes...

Qui suis-je ? Suis-je une enfant d'ici ?

Ou de là-bas ?

Tu es les deux, mon trésor.

Tu es le fruit de deux amours réunis.

Ce texte a été offert à l'association Mothers' Bridge of Love par une mère adoptive qui a préféré garder l'anonymat.

Fondée en 2004, cette association travaille à tisser des liens entre la Chine et l'Occident pour permettre aux enfants chinois qui ont été adoptés partout dans le monde de renouer avec leur culture d'origine.

Mothers' Bridge of Love a trois missions : favoriser la compréhension et l'échange entre l'Occident et l'Asie ; rapprocher les parents adoptifs et leurs enfants adoptés, en aidant ceux-ci à découvrir leurs racines culturelles ; fournir aide et soutien sur le plan scolaire aux enfants qui vivent dans des zones rurales pauvres de Chine.

Parmi les moyens utilisés, MBL coordonne des projets de voyage qui offrent à des petits Chinois élevés à l'étranger l'occasion de se familiariser avec la vraie Chine, c'est-à-dire celle de la campagne, où la plupart d'entre eux sont nés. Cette initiative donne aussi aux parents la chance de découvrir l'héritage culturel de leurs enfants.

Pour obtenir davantage d'information sur Mothers' Bridge of Love, vous pouvez visiter son site Internet :

www.motherbridge.org